1, 2, 3, JE CRÉE...
AVEC LA NATURE

CHERYL OWEN

Sélection *du* **Reader's Digest**

PARIS • BRUXELLES • MONTRÉAL • ZURICH

1, 2, 3, JE CRÉE...
AVEC LA NATURE
est l'adaptation française de
MY NATURE CRAFT BOOK,
conçu, réalisé et publié par Salamander Books Ltd.,
Londres, Grande-Bretagne.

ÉDITION ORIGINALE

Direction éditoriale : Veronica Ross
Direction artistique : Rachael Stone
Photographie : Jonathan Pollock, assisté de Peter Cassidy
Secrétariat de rédaction : Coral Walker
Maquette : Anita Ruddell
Illustrations : Stan North, Malcolm Porter, Jo Gapper, Alan Dart et Caroline Green

ADAPTATION FRANÇAISE

Traduction : Anne Davis
Maquette : Gérard Gagnepain

Équipe de Sélection du Reader's Digest :

Direction éditoriale : Gérard Chenuet
Responsables du projet : Paule Meunier, José-Antoine Cilleros
Maquette : Claude Ramadier
Couverture : Françoise Boismal, Dominique Charliat

PREMIÈRE ÉDITION
Édition originale

© Salamander Books Ltd., 1993

ÉDITION FRANÇAISE

© 1993, Sélection du Reader's Digest, S.A.
212, boulevard Saint-Germain, 75007 Paris

© 1993, N.V. Reader's Digest, S.A.
29, quai du Hainaut, 1080 Bruxelles

© 1993, Sélection du Reader's Digest (Canada), Limitée
215, avenue Redfern, Montréal, Québec H3Z 2V9

© 1993, Sélection du Reader's Digest, S.A.
Räffelstrasse 11, « Gallushof », 8021 Zurich

ISBN 2-7098-0445-X

1, 2, 3, JE CRÉE...

AVEC
LA NATURE

SOMMAIRE

INTRODUCTION

Au fur et à mesure que nous devenons attentifs au monde qui nous entoure, nous prenons conscience des nombreuses possibilités que nous offre la nature. *1, 2, 3, je crée... avec la nature* te propose de réaliser des objets jolis et pratiques à partir des mille choses que tu peux trouver dans ton jardin, à la plage ou au cours d'une promenade dans la campagne. Apprends à réaliser des impressions avec une pomme de terre, un collage avec des graines ou un hérisson avec des chardons.

ÉQUIPEMENT ET MATÉRIEL

Quand tu te promènes sur une plage, cherche tout ce que tu peux récolter d'utile pour tes réalisations : des coquillages, des pierres, des vieux bois flottants, des écorces ou des pommes de pin tombées des arbres. Ne cueille pas de fleurs sauvages sans en demander l'autorisation à un adulte. Certaines fleurs sauvages que l'on trouve sur les landes ou dans les haies sont menacées de disparition. Demande s'il n'y a pas, dans le jardin, des plantes que tu pourrais faire sécher.

Cherche aussi dans la maison et le jardin tout ce que tu pourrais recycler : ficelles, vieilles boîtes ou chutes de tissus. N'oublie pas de récupérer les boîtes de céréales vides car tu auras besoin de carton. Les tubes en carton sur lesquels sont enroulés le papier absorbant et le papier toilette font des anneaux parfaits une fois découpés, et les herbes séchées conviennent tout à fait dans les sachets pour le bain.

AVANT DE COMMENCER

- Avant toute chose, demande à un adulte de regarder avec toi ce dont tu as besoin.

- Lis bien les instructions avant de t'y mettre.

- Réunis tout ce dont tu as besoin.

- Recouvre la table sur laquelle tu vas travailler avec du papier ou un morceau de tissu usagé.

- Protège tes vêtements avec un tablier ou enfile de vieux habits.

QUAND TU AS TERMINÉ

Range tout ce que tu as sorti. Mets les crayons, les tubes de peinture et de colle dans de vieux pots en plastique ou des boîtes à biscuits.

Nettoie les pinceaux et n'oublie pas de refermer les pots dans lesquels tu as mis les crayons, les peintures ou la colle.

PRUDENCE !

Fais bien attention quand tu te sers de quelque chose de chaud ou de coupant. Tu es capable de faire la plupart des objets tout seul, mais il t'arrivera d'avoir besoin d'aide. La mention ATTENTION t'indiquera les projets qui nécessitent l'aide d'un adulte.

Lis attentivement les instructions avant de commencer.

COMMENT UTILISER LES PATRONS

Tu trouveras à la fin du livre les patrons indispensables à la réalisation de certains objets. Reproduis le patron dont tu as besoin sur du papier fin ou du papier-calque avec un crayon. Pour les objets à fabriquer avec du tissu, coupe le patron et épingle-le sur le morceau de tissu. Tu n'as plus qu'à découper autour de la forme. Quand tu auras davantage confiance en toi, après avoir fabriqué quelques-uns de ces objets, essaie d'adapter et de réaliser tes idées.
Si tu aimes dessiner, crée tes propres patrons et tes décorations.

RÉSERVÉ AUX ADULTES

La réalisation de tous les objets proposés dans *1, 2, 3, je crée... avec la nature* est expliquée le plus simplement possible. Toutefois, elle nécessite parfois l'utilisation de certains ustensiles dangereux, comme des couteaux pointus ou un fer à repasser. Votre aide dépendra de la maturité de votre enfant, mais détaillez avec lui toutes les opérations à effectuer avant de le laisser commencer quoi que ce soit.

Rappelle-toi ces règles de base :

● Ne laisse jamais traîner des ciseaux ouverts ou, même fermés, près de plus petits que toi, qui risquent de les attraper.

● Quand tu ne les utilises pas, prends bien soin de piquer les aiguilles et les épingles sur un coussinet spécial ou un petit morceau d'étoffe.

● Ne te sers jamais d'un four, d'un fer à repasser ou d'un couteau à lame coulissante (cutter) sans l'aide d'un adulte.

N'utilise jamais le four ou un couteau pointu sans l'aide d'un adulte.

Certaines fleurs sauvages sont rares. Vérifie avec un adulte si tu peux ou non les cueillir.

DU PAPIER À FEUILLES

La prochaine fois que tu iras te promener, ramasse toutes sortes de feuilles de différentes tailles et fabrique ton propre papier cadeau imprimé. Harmonise le papier et les étiquettes pour que le résultat soit vraiment réussi.

1 Pour réaliser l'imprimé, peins soigneusement une des faces de la feuille avec de la gouache.

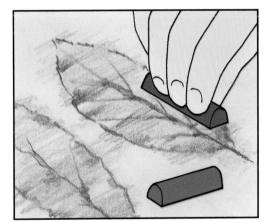

2 Appuie la face peinte de la feuille sur une feuille de papier. Presse très fort avec ton poing. Soulève la feuille et recommence pour imprimer un autre motif. Lorsque la peinture aura séché, tu pourras envelopper ton cadeau.

3 Pour faire une étiquette de cadeau, place une feuille sous un morceau de papier. Frotte le papier avec un pastel jusqu'à ce que le dessin de la feuille apparaisse. Découpe la forme de la feuille.

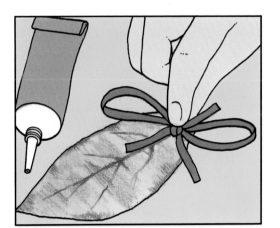

4 Pour terminer, fais un nœud en ruban et colle-le sur l'étiquette. Écris ton message au dos et attache l'étiquette sur ton cadeau bien enveloppé.

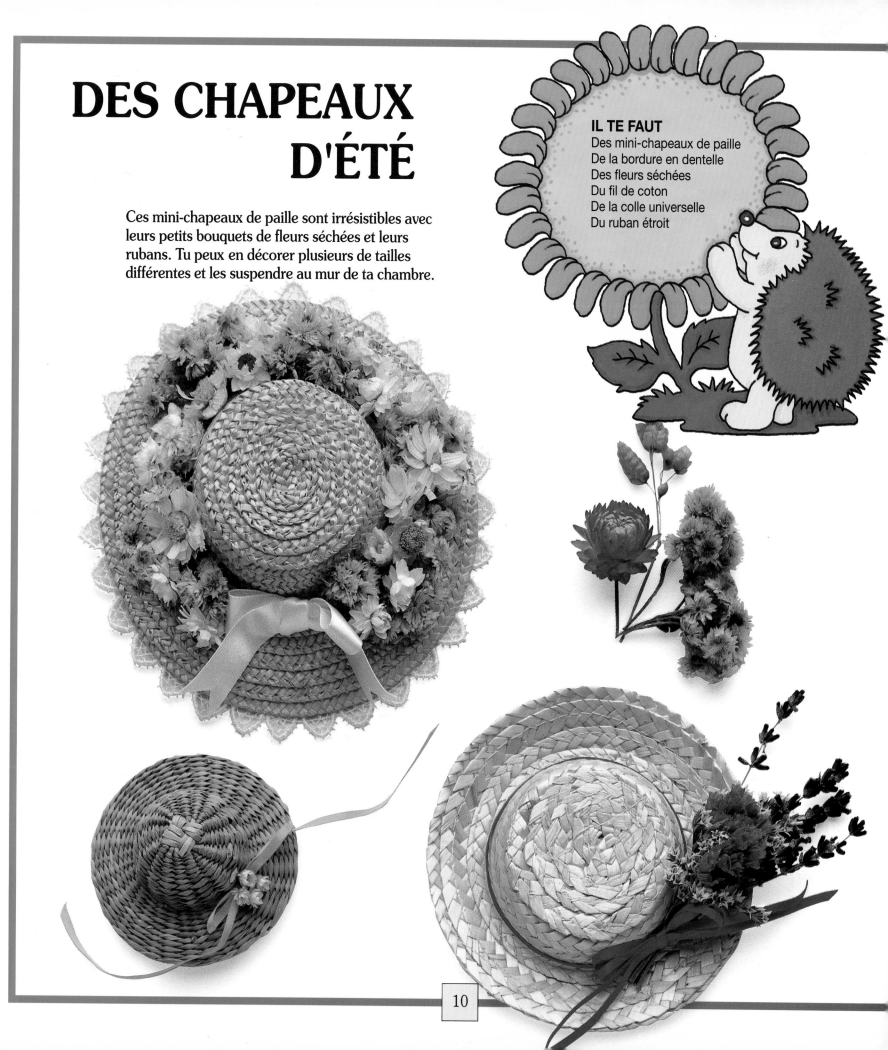

DES CHAPEAUX D'ÉTÉ

Ces mini-chapeaux de paille sont irrésistibles avec leurs petits bouquets de fleurs séchées et leurs rubans. Tu peux en décorer plusieurs de tailles différentes et les suspendre au mur de ta chambre.

IL TE FAUT
Des mini-chapeaux de paille
De la bordure en dentelle
Des fleurs séchées
Du fil de coton
De la colle universelle
Du ruban étroit

1 Colle avec soin une longueur de dentelle sur le bord intérieur d'un chapeau de paille. Fais attention de bien laisser dépasser le côté ouvragé.

2 Attache ensemble avec du fil de coton des mini-bouquets de fleurs séchées. Dispose-les tout autour de la calotte du chapeau.

3 Colle les fleurs en place. Tu peux coller un seul bouquet ou couvrir tout le tour du chapeau de fleurs.

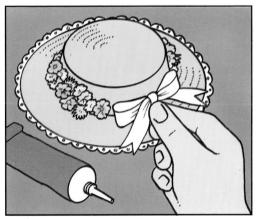

4 Pour finir, fais un beau nœud de ruban et colle-le sur le chapeau. Taille les bouts du ruban.

DES CARTES DÉCORÉES À FLEURS

Cueille des fleurs et ramasse des feuilles au cours de l'été, et fais-les sécher dans un livre. Tu les utiliseras ensuite pour décorer des cartes, des étiquettes de cadeaux ou des petits tableaux. Aplatis les marguerites en les pressant très fort, tout comme les herbes, les feuilles ou les bruyères.

1 Dispose les fleurs et les feuilles sur du papier buvard. Replie le buvard pour les recouvrir et tiens les fleurs pressées entre les pages d'un gros livre ou dans une presse à fleurs.

2 Quelques semaines plus tard, tu peux utiliser les fleurs et les feuilles. Découpe un rectangle de carton mince de couleur et plie-le en deux pour faire une carte de vœux.

3 Dispose les fleurs et les feuilles pour faire une jolie décoration sur le dessus de la carte.

IL TE FAUT
Un assortiment de fleurs
et de feuilles
Du papier buvard
De la colle universelle
Un gros livre
ou une presse à fleurs
Du carton mince de couleur
Des ciseaux
Du plastique transparent
autocollant

4 Colle avec soin tous les éléments sur la carte. Tu peux recouvrir ta carte de film plastique transparent autocollant pour protéger les fleurs.

LE CACATOÈS EN FLEURS SÉCHÉES

Avec des fleurs séchées et des monnaies-du-pape (qu'on appelle aussi lunaires), tu pourras réaliser un très joli collage. Suis les indications que nous te donnons pour faire ce cacatoès ou bien imagine tes propres modèles.

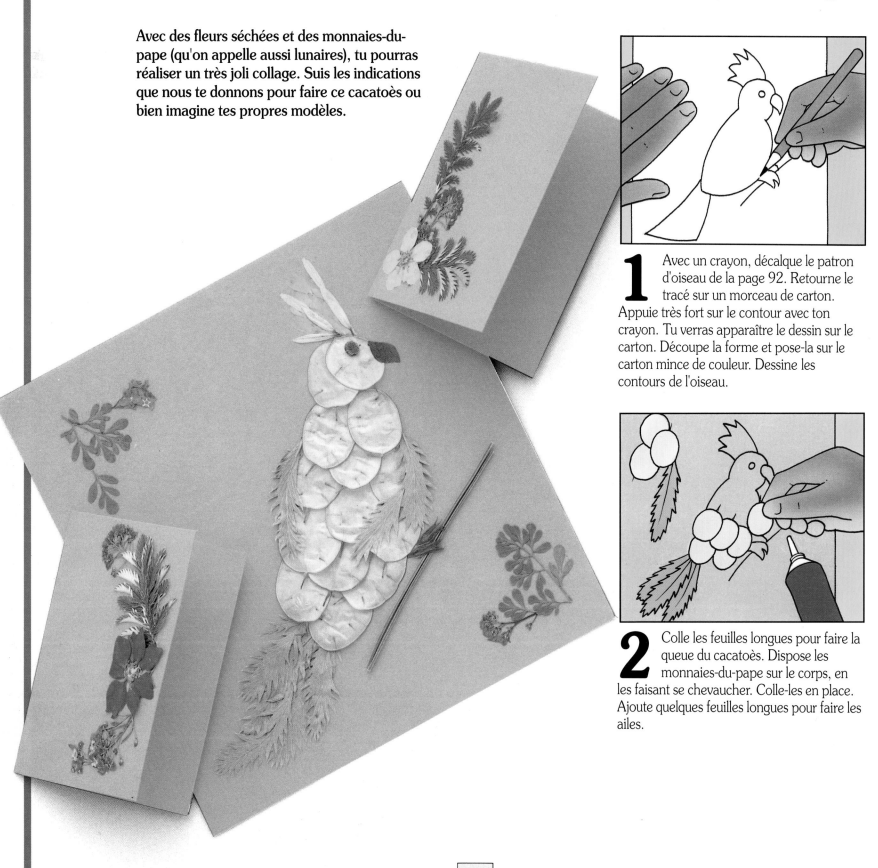

1 Avec un crayon, décalque le patron d'oiseau de la page 92. Retourne le tracé sur un morceau de carton. Appuie très fort sur le contour avec ton crayon. Tu verras apparaître le dessin sur le carton. Découpe la forme et pose-la sur le carton mince de couleur. Dessine les contours de l'oiseau.

2 Colle les feuilles longues pour faire la queue du cacatoès. Dispose les monnaies-du-pape sur le corps, en les faisant se chevaucher. Colle-les en place. Ajoute quelques feuilles longues pour faire les ailes.

3 Pour le bec, colle une petite feuille et pour l'œil, utilise le cœur d'une petite fleur. Colle la tige pour faire le perchoir, puis colle dessus deux petites feuilles pour les pattes.

4 Fais la fameuse crête du cacatoès avec des pétales jaunes et blancs. Complète le décor en collant quelques feuilles et quelques fleurs dans les coins de la carte.

IL TE FAUT
Des monnaies-du-pape
Des pétales jaunes et blancs pressés
Des petites fleurs
et des petites feuilles pressées
Une petite tige
Du carton mince de couleur
Un morceau de carton
De la colle universelle
Du papier-calque
et un crayon

DES ANIMAUX
EN GRAINES

Ces petits tableaux représentant des animaux sont faits de graines et d'herbes. Tu trouveras ici les indications pour fabriquer l'écureuil, mais le blaireau se fait de la même manière. Tu peux aussi imaginer d'autres animaux et réaliser toute une série d'habitants des bois.

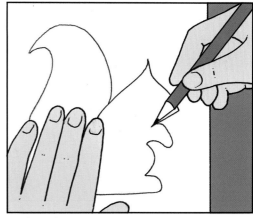

1 Avec un crayon, décalque les patrons de la page 93. Retourne le tracé sur le morceau de carton. Appuie très fort sur le contour avec le crayon. Le modèle apparaîtra sur le carton. Découpe les formes et dispose-les sur le carton mince vert. Dessine les contours.

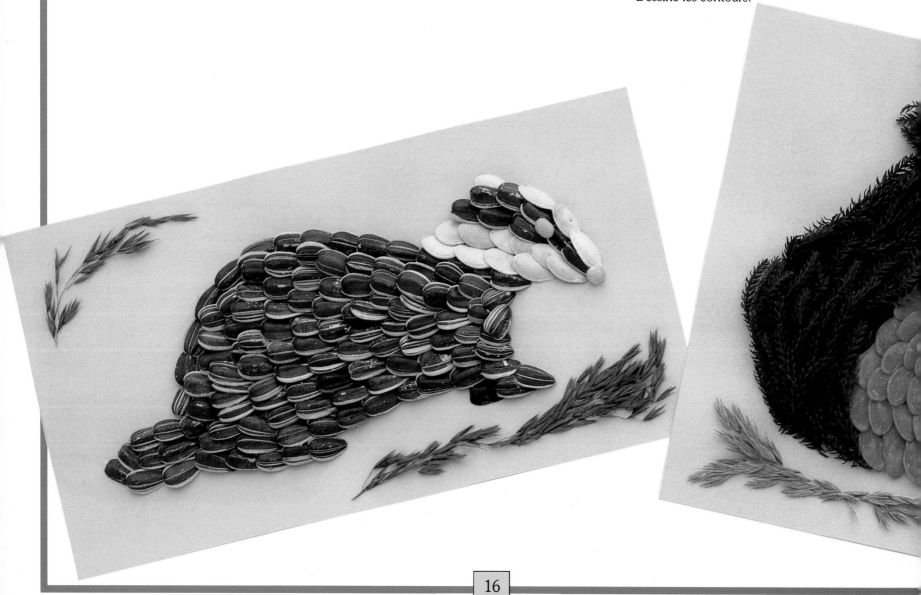

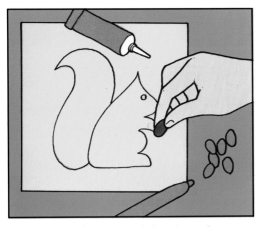

2 Pour faire l'écureuil, colorie des graines de citrouille avec un crayon-feutre orange vif. Coupe une noisette en deux et colles-en une moitié au bout de la patte de l'écureuil.

3 Pose les graines à l'intérieur de la forme du corps et colle-les en place. Colle un pois cassé sur la tête pour faire l'œil.

4 Colle des herbes teintes en rouge pour la queue de l'écureuil et d'autres herbes de couleur le long des bords de la carte.

IL TE FAUT
Du carton mince vert
Un morceau de carton
Du papier-calque et un crayon
Des graines de tournesol
et des graines de citrouille
Quelques pois cassés
Une noisette
Des herbes de couleur
Un crayon-feutre orange
De la colle universelle

LA DAME
DE FEUILLES

Ramasse dans ton jardin toutes sortes d'herbes et de feuilles mortes, et réalise ce ravissant collage. Cette dame de feuilles fera un très joli cadeau pour un ami dont l'anniversaire se fête en automne.

1 Avec un crayon, décalque le patron de la page 94. Retourne le tracé sur une feuille de papier épais. Appuie très fort sur le contour avec le crayon. Le patron de la dame de feuilles va alors apparaître sur le papier. Dessine les détails du visage avec des crayons de couleur.

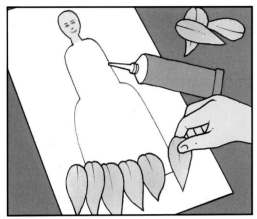

2 Utilise les feuilles les plus grandes pour faire la jupe. Commence par le bas et travaille en remontant. Colle les bouts des feuilles en place.

3 Utilise des feuilles plus petites et de couleur différente pour le buste, et des feuilles fines et longues pour les bras. Colle-les en place avec soin.

4 Enfin, colle quelques branches de statice pour les cheveux. Coupe quelques feuilles ou des épis de blé, que tu placeras dans les bras de la dame.

IL TE FAUT
Du papier-calque
Un crayon
Du papier épais
Des crayons de couleur
Des feuilles et des herbes
Des branches de statice
Des épis de blé
De la colle universelle

DES IMPRESSIONS À LA FICELLE

Utilise de la corde, de la ficelle ou tout autre matériau naturel, comme de l'écorce, pour imprimer toutes sortes de motifs grâce à des tampons que tu fabriqueras toi-même. Ici, nous avons décoré des napperons, une écharpe et du papier à lettres avec des tampons faits de ficelle, mais tu peux imprimer bien d'autres choses encore.

IL TE FAUT
Du carton d'emballage
De la colle universelle
De la ficelle ou tout autre
matériau naturel
De la peinture acrylique
Du papier ou du tissu à imprimer
Des ciseaux et
un récipient creux

1 Pour faire un tampon, découpe un morceau de carton d'emballage de 3 sur 7,5 cm.

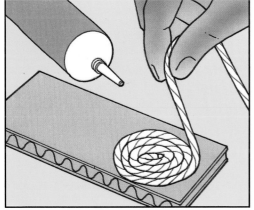

2 Prends une petite longueur de ficelle et dispose-la pour faire un dessin original. Colle-la sur le carton au fur et à mesure. Laisse sécher.

3 Dans un récipient creux, dilue la peinture avec un peu d'eau. Trempe le tampon avec la ficelle dans la peinture.

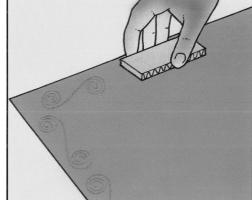

4 Égoutte le tampon pour enlever le surplus de peinture et appuie-le très fort sur le tissu ou le papier que tu veux imprimer. N'utilise pas trop de peinture, tu abîmerais le tampon et la ficelle se décollerait.

DES SACHETS
DE LAVANDE

Fabrique ces ravissants sachets odorants avec des morceaux de tissu rayés de rose, de bleu ou de mauve et remplis-les de lavande. Range ces sachets parmi tes vêtements pour les embaumer.

1 Avec des ciseaux crantés, découpe un rectangle de tissu d'environ 18 sur 13 cm.

IL TE FAUT

Des morceaux de tissu
Des ciseaux crantés
Une aiguille et du fil
De la lavande séchée
Du ruban

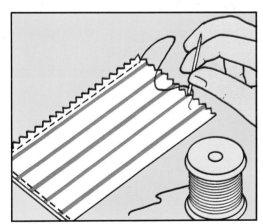

2 Plie le rectangle en deux sur l'endroit pour que le bon côté du tissu soit à l'intérieur. Couds deux côtés comme sur le dessin.

3 Retourne le sachet sur l'endroit et remplis-le avec quelques poignées de lavande séchée.

4 Pour finir, fais un joli nœud de ruban en haut du sac pour le fermer.

DES ORANGES POUR PARFUMER

Piqués de clous de girofle, ces oranges ou ces citrons, suspendus à de jolis rubans, parfumeront délicatement la cuisine, ta chambre ou ton armoire.

IL TE FAUT
Des oranges et des citrons
Du ruban de 2,5 cm de large
Des clous de girofle

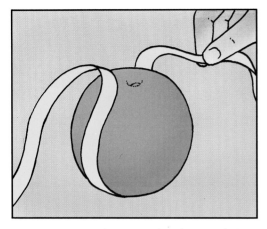

1 Plie une longueur de ruban en deux. Mets le fruit sur le ruban, au milieu, et ramène les deux bouts sur le dessus du fruit.

3 Si tu préfères, ne fais qu'un tour de ruban sur le fruit. Fais un beau nœud sur le dessus et égalise soigneusement les bouts.

4 Maintenant, décore le fruit avec les clous de girofle. Pique-les dans la peau du fruit, en faisant un dessin ou en recouvrant complètement la surface.

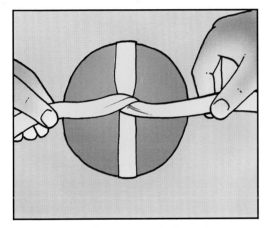

2 Croise le ruban sur le haut du fruit, comme sur le dessin. Ramène alors le ruban de chaque côté du fruit et fais un nœud lorsque tu es arrivé à l'opposé.

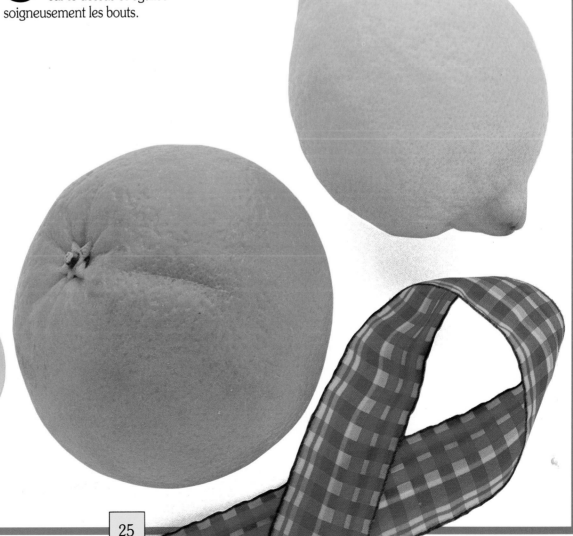

DES GALETS PEINTS

Les galets peints sont à la fois de jolis objets et de merveilleux souvenirs de vacances. La prochaine fois que tu iras à la plage, ramasse de jolis galets bien lisses, que tu décoreras de retour à la maison.

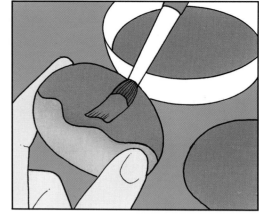

1 Lave les galets et laisse-les sécher toute la nuit. Peins un fond de couleur bleue.

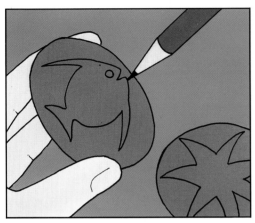

2 Fais un brouillon de dessin sur une feuille de papier. Lorsque le dessin te plaît, dessine-le sur le galet.

3 En suivant les contours de ton dessin, peins avec soin l'intérieur en soignant les détails. Laisse bien sécher les galets.

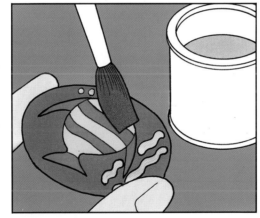

4 Pour que tes galets peints restent jolis, et que les dessins tiennent, enduis-les d'une couche de vernis incolore.

IL TE FAUT
Des galets lisses
De la gouache
Du papier
Un pinceau
Un crayon
Du vernis incolore

DES ARBRES FANTASTIQUES

Avec un peu de gouache, tu feras apparaître sur le papier ces arbres étranges
et magnifiques. Suis nos instructions et tu pourras
réaliser de superbes dessins pour illustrer des tableaux,
des cartes ou des étiquettes de cadeaux très originales.
Tu peux aussi facilement créer
tes propres décors.

1 Avec une éponge naturelle, imprègne d'eau les deux faces d'une feuille de papier fort. Colle le papier avec du ruban adhésif gommé sur une surface plane. Cela empêchera le papier de se gondoler en séchant. Lisse-le bien avec l'éponge.

2 Quand le papier est sec, humidifie l'éponge et trempe-la dans la peinture à l'eau bleu-vert. Passe l'éponge sur tout le papier pour faire le fond.

IL TE FAUT
Du papier fort
Du ruban adhésif gommé
De la gouache diluée
dans l'eau ou de l'encre
Une petite éponge naturelle
Un compte-gouttes
Des pailles

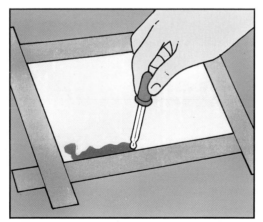

3 Avec un compte-gouttes, dépose avec précaution quelques gouttes de gouache noire ou marron très diluée ou bien d'encre au bas de la feuille, comme sur le dessin.

4 Pour faire apparaître les arbres, souffle très fort avec une paille sur la gouache que tu viens de répandre au bas de la feuille. Tu peux souffler en différents endroits pour créer plusieurs arbres.

DES OURSONS-BOUGEOIRS

Ces adorables bougeoirs en forme d'ourson conviendront parfaitement pour un anniversaire. Ils sont faits en pâte à sel – de la farine, du sel et de l'eau mélangés. Les proportions données ici sont prévues pour un ourson.

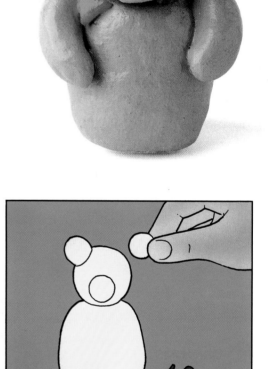

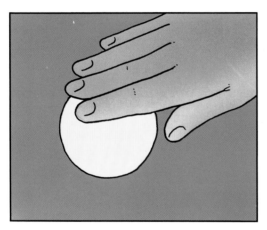

1 Mélange la farine, le sel et l'eau pour faire une boule de pâte. Roule un morceau de pâte en une boule de 4 cm de diamètre pour faire le corps. Appuie sur la boule pour la rendre ovale.

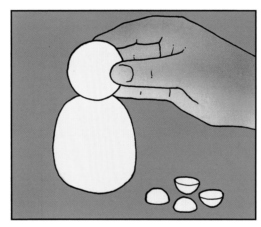

2 Roule un autre petit morceau de pâte dans tes mains pour faire la tête. Enfonce la tête sur le corps. Pour les oreilles et le museau, roule deux autres boules de pâte et coupe-les en deux pour faire quatre demi-sphères.

3 Pour les oreilles, presse une demi-sphère de chaque côté de la tête. Le museau est fait d'une demi-sphère pressée sur la face de l'ourson. Utilise des clous de girofle pour le nez et les yeux. Dessine un sourire sur le visage avec une épingle.

IL TE FAUT
4 cuillerées à soupe
   de farine ordinaire
2 cuillerées à soupe de sel
2 cuillerées à soupe d'eau
3 clous de girofle
Une épingle
Une bougie d'anniversaire
De la gouache
   Un pinceau
   Du vernis

4 Pour les bras, roule deux morceaux de pâte en forme de saucisse et presse-les sur les côtés du corps. Fabrique un petit nœud en pâte et pose-le sur le côté du cou.

5 Prends la bougie et fais un trou avec sur le dessus de la tête de l'ourson. Enlève la bougie et demande à un adulte de t'aider à faire cuire l'ourson dans le four à thermostat 1-2 (110 °C) pendant six heures. Peins et vernis l'ourson quand il est froid.

ATTENTION : *N'utilise pas le four sans l'aide d'un adulte.*

MADAME HÉRISSON

Cueille les chardons sauvages qui poussent dans la campagne et utilise-les pour fabriquer cette adorable dame hérisson. Elle fera un très joli cadeau. Tu peux aussi en fabriquer plusieurs pour décorer ta chambre.

1 Pour faire la robe, coupe un rectangle de tissu de 28 sur 11 cm. Couds le ruban et la dentelle le long du bord inférieur du tissu. Plie le tissu en deux, endroit sur endroit, et couds le long du petit côté. Passe un fil en faisant de gros points dans le haut, et tire pour resserrer le tissu.

IL TE FAUT
Des chutes de tissu
Du ruban et de la dentelle
au mètre
Un gros et un petit chardon
Du papier-calque et un crayon
Des épingles et des ciseaux
3 clous de girofle
De la feutrine beige et
du coton
Des fleurs séchées
Du fil et une aiguille
De la colle universelle

2 Glisse la robe sur le gros chardon et colle-le en haut. Colle un plus petit chardon au-dessus pour faire la tête. Colle aussi des clous de girofle pour les yeux et le nez.

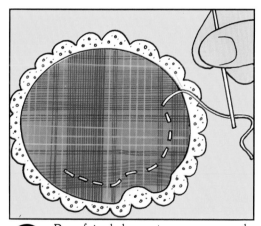

3 Pour faire le bonnet, coupe un rond de 14 cm de diamètre dans le même tissu. Couds de la dentelle tout autour du bord. Passe un fil à grands points à l'intérieur du cercle, à 2 cm du bord. Tire sur le fil pour resserrer le tissu et donner sa forme au bonnet. Pose le bonnet sur la tête.

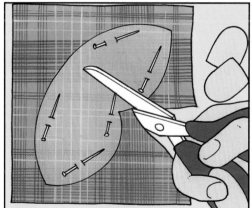

4 Avec un crayon, décalque les patrons des manches et des pattes de la page 95 et découpe-les. Épingle le patron des manches sur le tissu et celui des pattes sur la feutrine. Découpe deux manches et deux pattes.

5 Plie les manches en deux, endroit contre endroit, et fais une couture tout le long. Retourne les manches sur l'endroit et couds de la dentelle dans le bas. Remplis les manches avec du coton. Place les pattes sur les manches et couds le tissu à chaque patte pour que le coton ne s'échappe pas et que les pattes tiennent. Colle les manches au corps du hérisson. Enfin, colle un petit bouquet de fleurs séchées sur les pattes.

L'ARBRE DE PÂQUES

Cet arbre de Pâques qui porte des œufs est très drôle et facile à exécuter. Il est aussi décoratif avec ces coquilles pleines de fleurs multicolores que tu disposeras le jour de Pâques. Tu peux aussi remplir les coquilles avec des petits œufs en chocolat.

IL TE FAUT
Un pot de fleurs
Du papier crépon
De la colle universelle
Une branche
De la terre et de la mousse
Un couteau en bois
Des œufs
Du ruban
Des fleurs fraîches

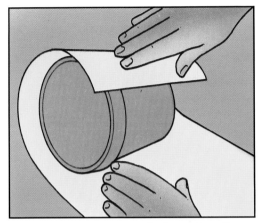

1 Recouvre un pot de fleurs de taille moyenne avec du papier crépon. Colle avec soin le papier à l'intérieur et sous le pot.

2 Remplis le pot avec de la terre et plante dedans une petite branche pour faire l'arbre. Dispose de la mousse autour du « tronc » de l'arbre.

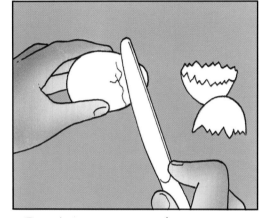

3 Avec un couteau en bois, tape doucement au centre des œufs pour les casser. Mets les blancs et les jaunes dans un bol (tu pourras les utiliser plus tard pour la cuisine), rince les coquilles et laisse-les sécher.

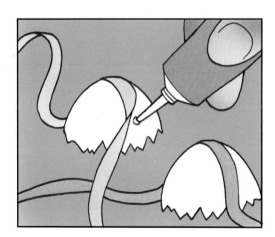

4 Colle un morceau de ruban étroit autour des coquilles comme sur le dessin. Attache le ruban aux branches de l'arbre en faisant un nœud.

5 Pour décorer, mets un peu d'eau au fond des coquilles et ajoute avec précaution quelques petites fleurs.

DES ÉTIQUETTES
À FLEURS

Presser et faire sécher des fleurs est très facile à faire. Nous t'expliquons comment procéder page 12. Ici, nous avons utilisé ces fleurs pour réaliser de ravissantes étiquettes qui ajouteront une touche originale à tes paquets-cadeaux.

2 Dispose les fleurs séchées sur les étiquettes. Colle les fleurs en place.

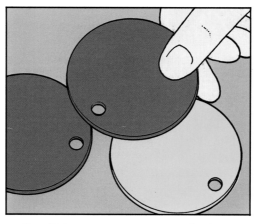

1 Découpe soigneusement des formes rondes et ovales dans du carton de couleur et fais un trou dans le haut de ces formes.

3 Passe du ruban étroit dans le trou des étiquettes et attache-le en faisant un nœud.

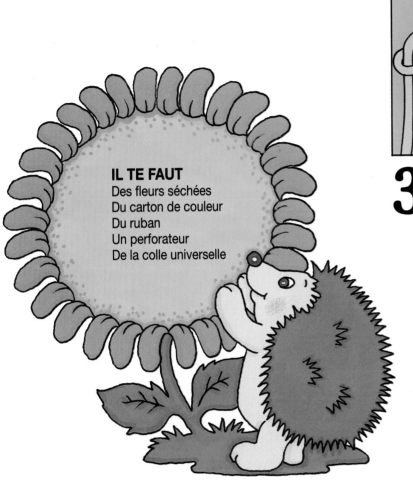

IL TE FAUT
Des fleurs séchées
Du carton de couleur
Du ruban
Un perforateur
De la colle universelle

4 Ajoute une touche différente à certaines étiquettes en collant une petite rosette. Pour cela, prépare quelques nœuds de ruban et colle-les en haut des étiquettes.

DES TÊTES D'ŒUFS CHEVELUES

Voici une nouvelle manière de faire pousser le cresson ! Garde les coquilles des œufs qui auront été utilisés pour la cuisine et réalise ces drôles de têtes chevelues. Quand le cresson aura poussé, mélange-le à des œufs durs coupés en morceaux pour faire de délicieux sandwichs.

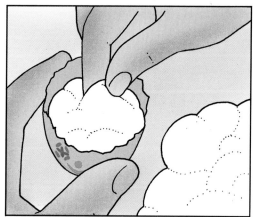

IL TE FAUT
Des coquilles d'œufs vides
Des graines de cresson
Du coton
Des crayons-feutres
Une boîte à œufs

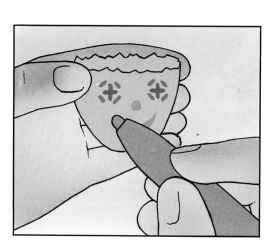

1 Nettoie et sèche les coquilles d'œufs. Dessine une tête amusante ou effrayante sur chaque coquille avec des crayons-feutres.

2 Humecte d'eau du coton et enfonce-le doucement à l'intérieur des coquilles d'œufs.

3 Dispose soigneusement quelques graines de cresson sur le coton humide.

4 Place les coquilles d'œufs dans une boîte à œufs que tu mettras sur le rebord d'une fenêtre exposée au soleil. Assure-toi que le coton ne sèche pas. Quelques jours après, les graines vont éclore et les « cheveux » pousser.

FLEURS SÉCHÉES
POUR PAPIER CADEAU

De simples fleurs séchées peuvent transformer du papier cadeau uni. Utilise les herbes et les fleurs que tu as récoltées et fais-les sécher toi-même. Tu peux aussi les acheter chez un fleuriste ou au marché.

1 Enveloppe soigneusement ton cadeau dans du papier cadeau brillant, ou mets-le dans un joli sac tout prêt.

2 Pour un cadeau carré ou rectangulaire assez grand, dispose les fleurs séchées sur le dessus. Quand la présentation te plaît, colle les fleurs en place.

3 Pour décorer un petit cadeau, entoure-le de ruban étroit et glisse une petite branche de fleurs séchées sous le ruban.

4 Pour un sac cadeau tout prêt, rassemble un petit bouquet de fleurs séchées et attache-le avec du ruban. Fais un nœud et colle le bouquet sur le sac, dans un angle.

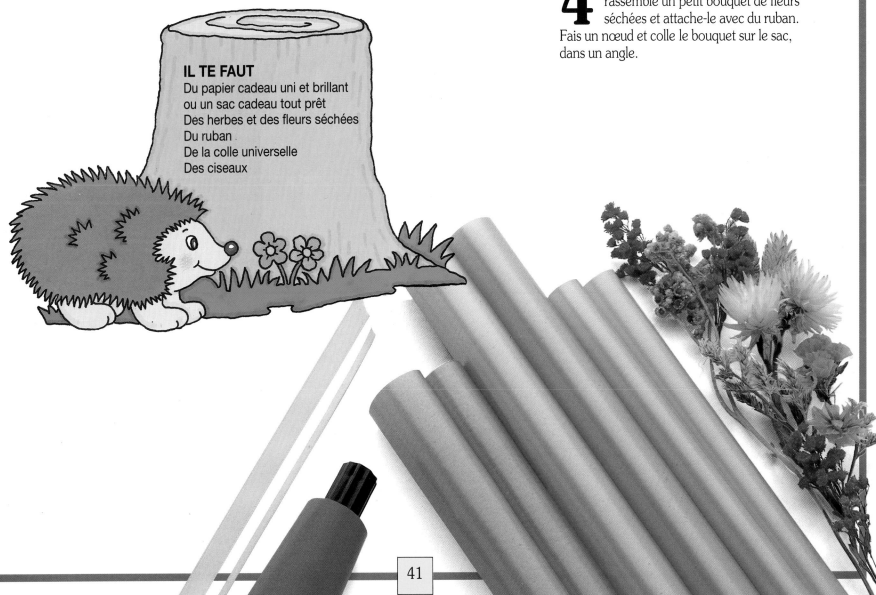

IL TE FAUT
Du papier cadeau uni et brillant ou un sac cadeau tout prêt
Des herbes et des fleurs séchées
Du ruban
De la colle universelle
Des ciseaux

DES CŒURS
EN POT-POURRI

Ces ravissants sachets en forme de cœur sont faits de
chutes de tissu uni et de tulle. Remplis-les de pot-pourri, un
mélange d'herbes et de fleurs odorantes, que tu achèteras dans
une grande surface ou dans une parfumerie. Le pot-pourri
est bien mis en valeur dans des petits cœurs.

IL TE FAUT
Du tulle brodé
Du tissu uni
25 cm de ruban étroit
10 cm de ruban
de 1,5 cm de large
Du pot-pourri
Une aiguille et du fil
Des épingles et des ciseaux
Du papier-calque et un crayon

1 Avec un crayon, décalque le modèle de la page 95. Découpe le patron.

2 Épingle le patron sur le tulle et le tissu uni superposés et découpe avec soin la forme en utilisant des ciseaux crantés.

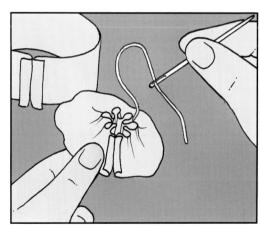

3 Couds ensemble les cœurs de tissu et de tulle en laissant une petite ouverture sur un côté. Remplis le sachet de pot-pourri et finis de coudre le cœur. Fais une grande boucle avec le ruban étroit et couds-la en haut du cœur pour le suspendre.

4 Pour ajouter une petite rosace, couds ensemble les extrémités d'un morceau de ruban large de manière à former un cercle. Passe un fil à grands points sur l'un des côtés et tire dessus pour former une petite rosace. Couds la rosace sur le devant du cœur.

DES ŒUFS DÉCORÉS

Utilise des feuilles, des bruyères ou des fleurs pour décorer ces œufs. Lorsqu'ils seront prêts, place-les dans une jolie coupe ou attache-les avec des rubans pour les suspendre et décorer la maison.

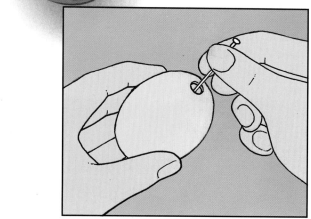

1 Avec une aiguille, fais très délicatement un petit trou à chaque extrémité de l'œuf. Élargis ces trous jusqu'à 5 mm pour l'un et 1 cm pour l'autre.

IL TE FAUT
Des œufs
Un récipient creux
Une aiguille
De la teinture pour tissu
Des gants de caoutchouc
Des brins de bruyère
et des feuilles
De la gouache
Un pinceau

2 Enfonce l'aiguille dans l'œuf pour briser le jaune. En tenant l'œuf au-dessus d'un récipient, souffle doucement par le plus petit trou pour le vider de son contenu.

3 Demande à un adulte de t'aider à préparer la teinture pour tissu en suivant les instructions portées sur le paquet. Mets des gants en caoutchouc et maintiens l'œuf dans la teinture quelques minutes, puis retire-le et laisse-le sécher.

4 Peins les bruyères et les feuilles avec de la gouache et applique-les sur l'œuf pour imprimer de jolis dessins sur la coquille. Laisse bien sécher les œufs avant de les utiliser.

ATTENTION : *Ne prépare pas la teinture pour tissu sans l'aide d'un adulte.*

DES ANIMAUX EN COQUILLAGES

Crée ces drôles de bestioles avec les coquillages que tu as ramassés sur les plages pendant les vacances. Les patelles feront de parfaites tortues et tu pourras transformer les plus petits de tes coquillages en souris ou en escargots.

IL TE FAUT
Des coquillages
Des yeux riboulants autocollants
Du coton à broder
De la colle universelle

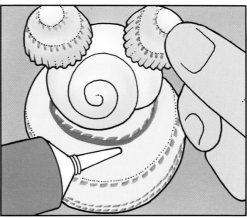

2 Quand tu seras satisfait de ton assemblage, colle ensemble les coquillages avec une colle universelle très forte.

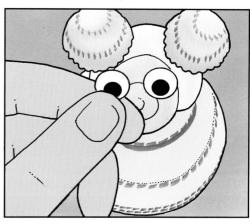

3 Colle aussi des yeux riboulants quand c'est nécessaire. C'est inutile pour les tortues et les escargots.

1 Dispose à ta guise les coquillages ensemble pour voir ceux qui s'assembleraient le mieux pour faire des animaux rigolos.

4 Si l'aimal a besoin d'une queue, fais-en avec une grande longueur de coton à broder et colle-la sous l'animal.

DES DESSOUS-DE-VERRE FLEURIS

De simples dessous-de-verre en liège se transformeront
en idée de cadeau idéale si tu leur ajoutes des immortelles
des jardins.

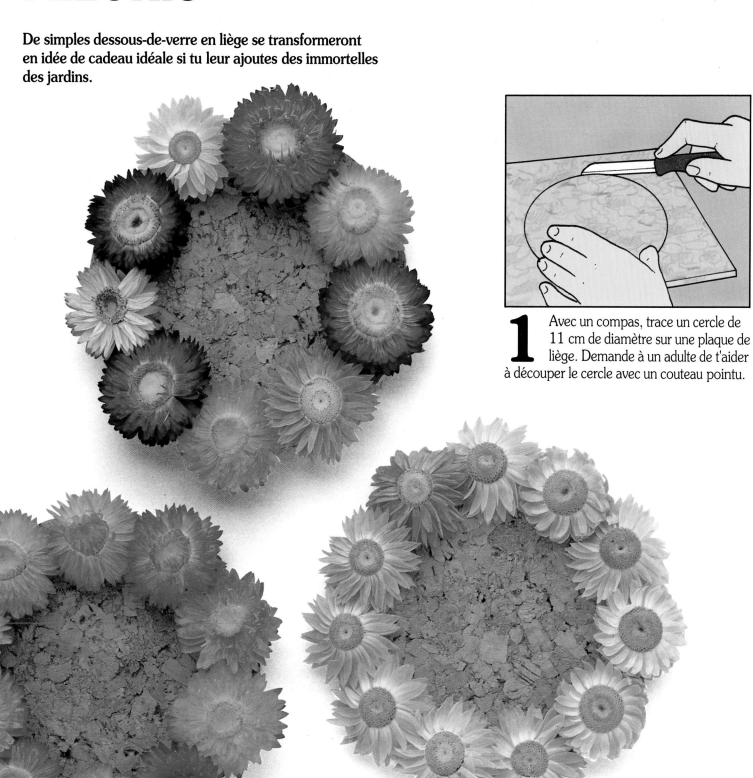

1 Avec un compas, trace un cercle de
11 cm de diamètre sur une plaque de
liège. Demande à un adulte de t'aider
à découper le cercle avec un couteau pointu.

4 Colle les fleurs en place. Assure-toi que la colle est bien sèche avant de te servir de tes dessous-de-verre.

3 Dispose les têtes des fleurs en rond tout autour du bord du dessous-de-verre en liège.

2 Avec des ciseaux, coupe soigneusement les tiges des immortelles séchées au ras de la fleur.

IL TE FAUT
Des fleurs séchées du type immortelles
Une plaque de liège
De la colle universelle
Un couteau pointu
Un compas et un crayon
Des ciseaux

ATTENTION : *N'utilise pas le couteau pointu sans l'aide d'un adulte.*

UN BOUQUET DE FLEURS SÉCHÉES

Un assortiment de fleurs séchées attachées avec un ruban d'une belle couleur fera un très joli cadeau d'anniversaire. Tu peux le présenter d'une façon plus originale en ajoutant un napperon en papier.

1 Assemble quelques jolies fleurs séchées pour en faire un bouquet et attache-les avec un élastique.

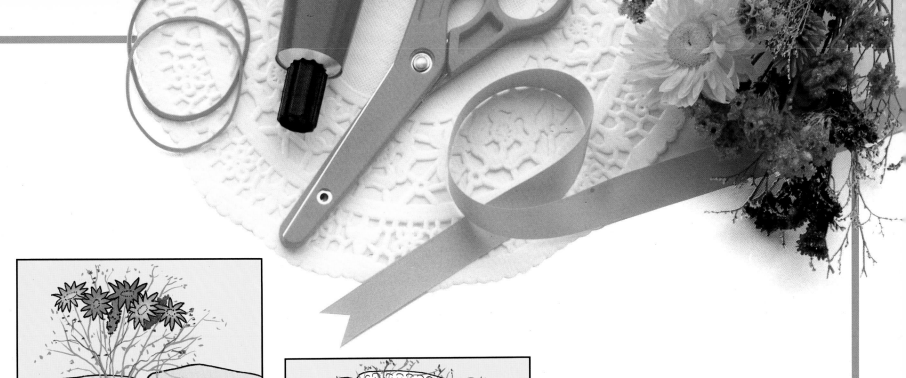

2 Dispose des brins de statice autour du bouquet et attache l'ensemble avec un autre élastique.

3 Fais un trou au centre d'un napperon en papier. Glisse les tiges du bouquet dans le trou.

4 Mets un point de colle pour que le napperon adhère aux tiges. Enroule un ruban autour du bouquet et termine par un joli nœud.

IL TE FAUT
Des fleurs séchées et des statices
Un napperon en papier
Du ruban
2 élastiques
De la colle universelle
Des ciseaux

DES JARDINS À LA FRANÇAISE

Autrefois, du temps des rois, on aimait bien planter les jardins suivant des dessins géométriques, que ce soit les potagers ou les parterres de fleurs. Avec nos indications, tu pourras élaborer un collage qui rappelle les jardins d'alors, en utilisant des haricots, des pois ou des lentilles.

ATTENTION : *Ne mange pas les haricots secs, tu pourrais avoir très mal au ventre !*

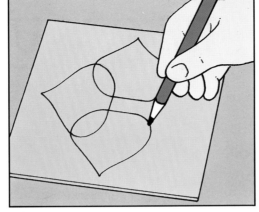

2 Avec un crayon, dessine des formes géométriques sur le carton. Tu peux aussi recopier les modèles que nous te proposons ici.

IL TE FAUT
Du carton fort
De la colle universelle
Des ciseaux
Des lentilles colorées
Des pois cassés
Des petits haricots rouges secs
Des grains d'orge

3 En commençant par le centre du modèle, étale un peu de colle sur le carton et mets quelques éléments en place en appuyant dessus.

4 Continue en faisant les bords. Étale la colle au fur et à mesure, jusqu'à ce que le dessin soit complètement rempli.

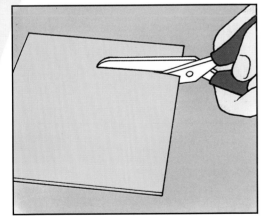

1 Avec des ciseaux, découpe un carré de carton fort de 15 cm de côté.

DES BOÎTES DÉCORÉES DE COQUILLAGES

Tu peux décorer beaucoup de choses avec les coquillages que tu ramasses sur la plage. Ici, ils ornent le couvercle d'une boîte en bois ordinaire qui se transforme ainsi en ravissant coffret à bijoux.

IL TE FAUT
Des coquillages
Une boîte en bois
De la gouache
Un pinceau
De la colle universelle

1 Mélange la peinture avec de l'eau pour qu'elle soit facile à étaler. Peins la boîte et laisse-la sécher.

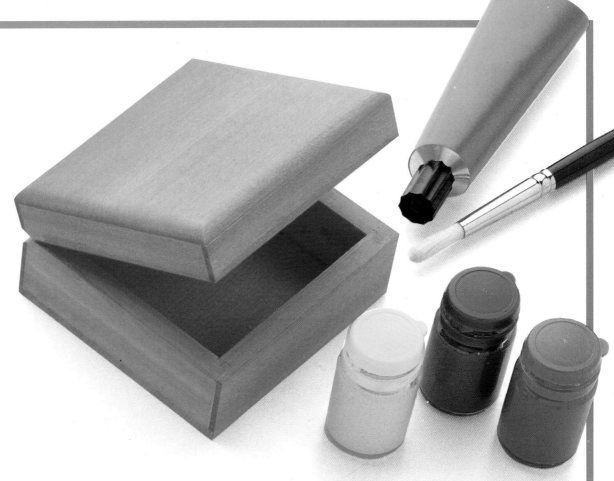

2 Dispose harmonieusement les coquillages sur le couvercle de la boîte. Place d'abord les plus grands.

3 Quand l'arrangement te convient, colle avec soin les coquillages en place.

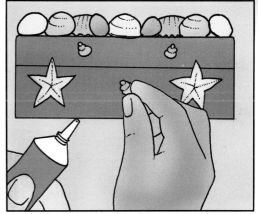

4 Tu peux laisser les côtés de la boîte tels qu'ils sont ou coller quelques petits coquillages au hasard.

DU PAPIER CADEAU EN OR

Le papier cadeau de Noël est souvent très cher. Cette année,
enveloppe tes cadeaux dans du simple papier kraft, mais ajoute des
décorations naturelles, comme des pommes de pin, des feuilles, et
un peu de peinture dorée.

1 Enveloppe soigneusement un cadeau
dans du papier kraft comme tu le fais
habituellement.

4 Tu peux aussi ajouter des nœuds de ruban à cadeaux et les coller au milieu des pommes de pin et des feuilles.

3 Peins quelques pommes de pin, ou d'autres éléments, avec de la peinture dorée. Laisse sécher. Dispose les éléments sur le paquet et colle-les en place.

2 Pour donner un air de fête, noue autour du paquet du ruban à cadeaux doré, comme sur le dessin.

IL TE FAUT
Du papier kraft
Des ciseaux
Du ruban à cadeaux doré
Des pommes de pin
Des cosses
Des herbes et des feuilles séchées
Des chardons
Des bâtons de cannelle
Des écorces
De la gouache dorée
Un pinceau
De la colle universelle

BIJOUX ET PEIGNES EN FLEURS SÉCHÉES

Réalise cette jolie collection de bijoux et d'accessoires pour les cheveux. Avec une sélection de fleurs séchées de toutes les couleurs, tu pourras assortir peignes, barrettes et boucles d'oreilles ou créer des modèles à porter avec tes différentes tenues cet été.

1 Pour protéger les fleurs séchées les plus délicates, passe une couche de vernis sur les pétales.

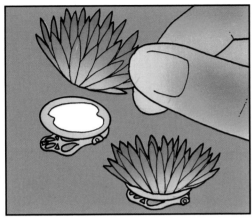

2 Pour les boucles d'oreilles, colle une seule fleur sur les clips. Laisse sécher dans un endroit sûr.

3 Dispose une sélection de jolies fleurs séchées sur un support de broche ou le bord d'un peigne.

4 Quand l'arrangement te satisfait, colle soigneusement les fleurs en place.

IL TE FAUT
Des fleurs séchées
Des clips pour boucles d'oreilles
Des supports de broche
Des peignes
Des barrettes
De la colle universelle
Du vernis
Un pinceau

DES IMPRESSIONS
À LA POMME DE TERRE

L'impression à la pomme de terre donne des résultats formidables. Sers-toi de ce procédé pour imprimer ton papier à lettres, des étiquettes de cadeaux ou tes enveloppes. Tu peux utiliser la même pomme de terre pour des couleurs différentes à condition de bien la laver à chaque fois.

IL TE FAUT
Des pommes de terre lavées
De la gouache
Un pinceau
Du papier à lettres de couleur
Du ruban
Un couteau pointu
Un crayon-feutre
Un perforateur

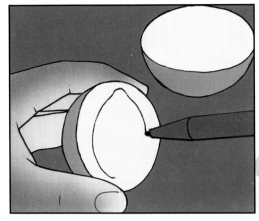

1 Coupe une pomme de terre en deux. Dessine un fruit sur une moitié avec un crayon-feutre.

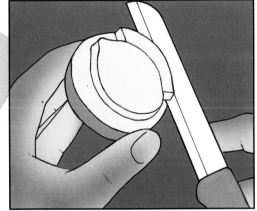

2 En maniant le couteau avec prudence, découpe soigneusement le contour du fruit que tu as dessiné et enlève la pulpe inutile pour ne garder que la forme en relief.

3 Avec un pinceau, applique une couche épaisse de peinture sur la forme en relief, puis presse-la très fortement sur le papier.

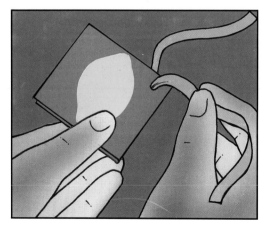

4 Tu peux imprimer un motif en haut d'une feuille de papier ou plier la feuille en deux et imprimer dessus tout un groupe de fruits.

5 Pour faire une étiquette pour un cadeau, découpe un petit rectangle de papier et plie-le en deux. Fais un trou en haut de l'étiquette et passe un ruban au travers.

ATTENTION : *N'utilise pas de couteau pointu sans l'aide d'un adulte.*

DES PANIERS PARFUMÉS

Ces adorables petits paniers font un cadeau idéal si tu les remplis de pot-pourri, surtout si tu as préparé le mélange odorant toi-même. Assemble des têtes de fleurs séchées, des épices, des feuilles et des pétales, et ajoute quelques gouttes d'huile essentielle pour intensifier le parfum naturel des ingrédients.

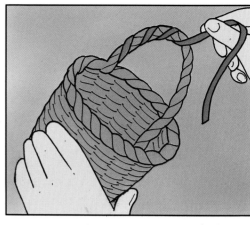

1 Entoure l'anse du panier de ruban et passe-le autour des bords du panier si le tressage le permet.

2 Prépare le pot-pourri avec des têtes de fleurs, des pétales, des baies, des feuilles, des épices – des morceaux de bâton de cannelle par exemple – et quelques gouttes d'huile essentielle de rose, de santal ou de lavande.

IL TE FAUT
Un petit panier
Du ruban
Des fleurs séchées
Des pétales, des têtes de fleurs, des baies, des feuilles, des bâtons de cannelle
De l'huile essentielle

3 Remplis le panier avec deux ou trois poignées du mélange de pot-pourri que tu as préparé.

4 Fais des mini-bouquets de fleurs séchées et attache-les à l'anse du panier avec des nœuds de ruban.

DES PRESSE-PAPIERS FLEURIS

Personne ne croira que tu as fait toi-même ces merveilleux presse-papiers. Il te faudra acheter le verre et le vernis dans une boutique spécialisée, mais tu peux cueillir et faire sécher les fleurs en suivant les instructions que nous te donnons page 12.

1 Verse un peu de vernis dans la partie creuse du presse-papiers. Remue la base pour faire glisser le vernis afin qu'il recouvre bien le fond.

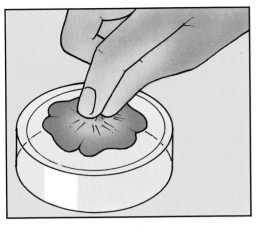

2 Pose une fleur, face contre le vernis, avec délicatesse. Verse un peu plus de vernis afin de recouvrir complètement la fleur.

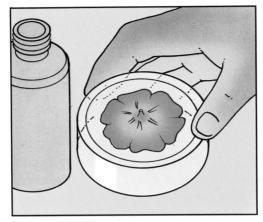

3 Remue à nouveau le presse-papiers pour que le vernis se répartisse bien. Laisse-le durcir au moins trois ou quatre jours.

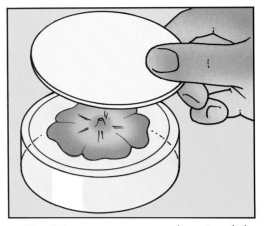

4 Découpe un morceau de carton de la taille de la partie creuse du presse-papiers. Achève le presse-papiers en couvrant la base d'un morceau de feutrine autocollante.

IL TE FAUT
Un presse-papiers de verre avec une partie creuse
Du vernis
Des fleurs séchées
Du carton et des ciseaux
De la feutrine autocollante

COLLIERS ET BRACELETS EN GRAINES

Tu peux faire de très jolis bijoux avec des graines de melon et de citrouille. Colore-les avec des crayons-feutres et enfile-les sur du fil élastique pour faire des bracelets et des colliers flamboyants.

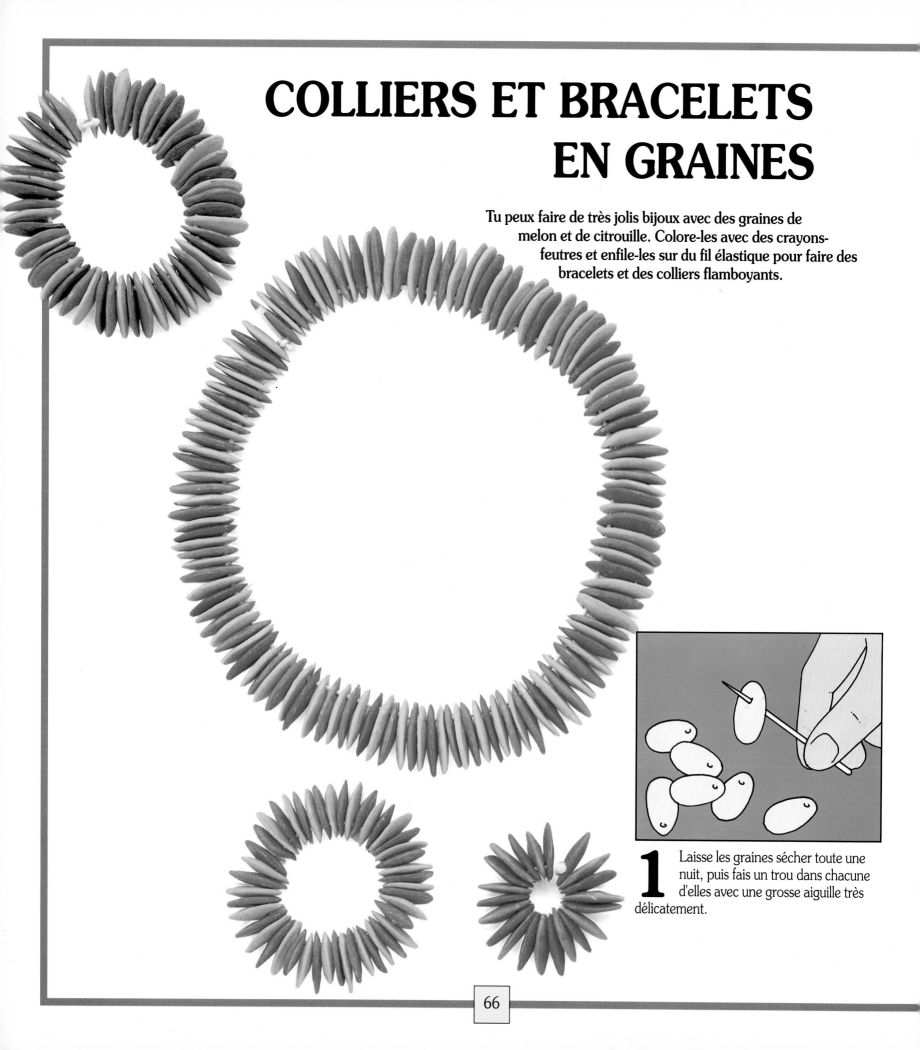

1 Laisse les graines sécher toute une nuit, puis fais un trou dans chacune d'elles avec une grosse aiguille très délicatement.

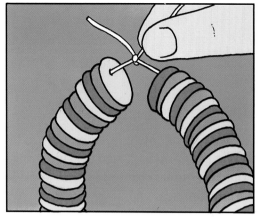

4 Attache les bouts de l'élastique ensemble en faisant un nœud serré. Fais glisser les graines le long de l'élastique pour cacher le nœud.

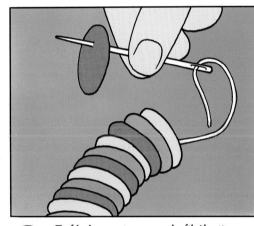

3 Enfile les graines sur du fil élastique jusqu'à ce que tu aies une longueur suffisante pour un collier, un bracelet ou un élastique à cheveux.

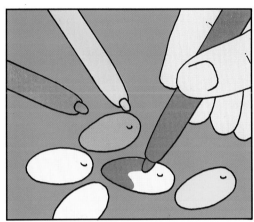

2 Colorie un côté des graines avec des crayons-feutres. Laisse sécher, puis colorie l'autre côté des graines.

IL TE FAUT

Des graines de citrouille ou de melon
Des crayons-feutres indélébiles
Une grosse aiguille
Du fil élastique

DES DESSINS DE FICELLE

Cette boîte originale fera un coffret à bijoux parfait. La ficelle peut être collée en suivant le tracé du dessin que tu souhaites pour décorer la boîte. Mais choisis plutôt des formes simples.

IL TE FAUT
Une boîte en bois
Un crayon
Des bouts de différentes ficelles
De la gouache
Un pinceau
De la colle universelle

1 Mélange la peinture avec de l'eau pour obtenir une solution bien diluée. Peins la boîte entièrement et laisse-la sécher.

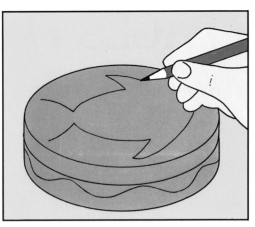

2 Avec un crayon, dessine une forme de poisson, ou de tout autre animal, sur le couvercle et une ligne ondulée tout autour de la boîte.

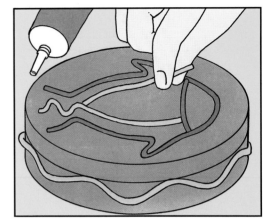

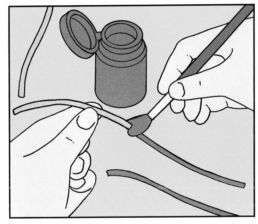

3 Peins les ficelles avec de la gouache non diluée et laisse sécher. Mets de la colle sur le tracé de ton dessin et colle la ficelle dessus.

4 Décore le poisson avec des morceaux de ficelle droits et d'autres ondulés. Colle-les en place sur la boîte. Fais un tortillon de ficelle fine pour l'œil et colle-le sur le poisson.

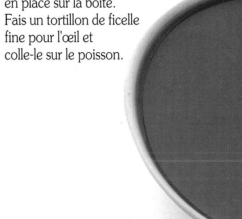

DES MARQUE-PAGES FLEURIS

Presser et faire sécher des fleurs est une occupation très
amusante qui permet ensuite de réaliser toutes sortes de
décorations et de cadeaux originaux, comme ces ravissants
marque-pages. Tu dois prendre des fleurs fraîches et si possible
assez plates, cela te facilitera la tâche pour les presser.

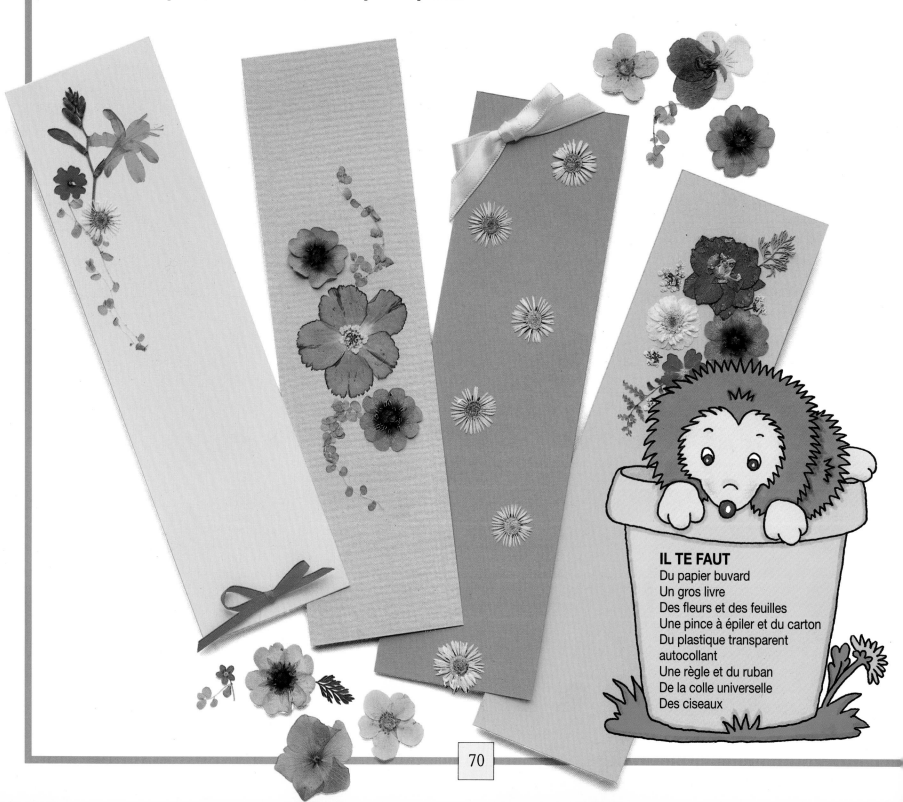

IL TE FAUT
Du papier buvard
Un gros livre
Des fleurs et des feuilles
Une pince à épiler et du carton
Du plastique transparent
autocollant
Une règle et du ruban
De la colle universelle
Des ciseaux

1 Place une feuille de papier buvard à l'intérieur d'un grand livre épais. Dispose des petites feuilles et des fleurs très colorées sur le papier buvard.

2 Place une seconde feuille de papier buvard sur les fleurs et les feuilles. Referme le livre et range-le dans un endroit où personne ne le touchera.

3 Au bout de quelques semaines, ouvre le livre et retire les fleurs avec une pince à épiler. Dispose les fleurs et les feuilles sur une bande de carton. Quand la disposition te satisfait, colle les fleurs et les feuilles en place.

4 Protège les fleurs en recouvrant les marque-pages d'un film de plastique transparent autocollant. Lisse bien avec une règle pour ôter les bulles d'air. Coupe les bords du plastique avec des ciseaux et colle un nœud de ruban étroit.

LES CITROUILLES MAGIQUES

Dans les pays anglo-saxons, un peu avant Noël, les enfants fêtent Hallowen. Ils se déguisent et fabriquent des lanternes avec des citrouilles (ou, comme sur la photo, avec de gros rutabagas) pour éloigner les fantômes.
Tu peux toi aussi essayer d'en faire une, c'est très facile. Mets une bougie à l'intérieur et place la lanterne devant la fenêtre.

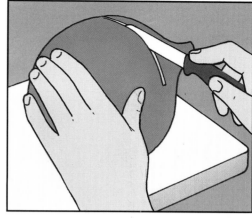

1 Avec un couteau pointu, découpe le haut d'une citrouille ou d'un rutabaga. Demande à un adulte de t'aider.

ATTENTION : *N'utilise pas le couteau pointu sans l'aide d'un adulte.*

72

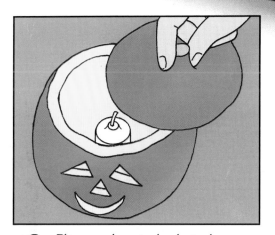

2 Vide l'intérieur avec un couteau. Demande à un adulte de t'aider. Avec un crayon-feutre, dessine une tête sur le devant de la citrouille ou du rutabaga.

3 Découpe soigneusement le contour des yeux, du nez et de la bouche avec un couteau pointu. Pousse les morceaux de l'intérieur vers l'extérieur.

IL TE FAUT
Une citrouille ou un rutabaga
Un couteau pointu
Un crayon-feutre
Une bougie de chauffe-plat

4 Place une bougie de photophore ou de chauffe-plat à l'intérieur de la lanterne. Demande à un adulte de l'allumer. Remets le couvercle mais surveille la lanterne quand elle est allumée.

DES HERBES PARFUMÉES POUR LE BAIN

Accroche ces petits sachets d'herbes aux robinets de la baignoire. En coulant au travers, l'eau s'imprégnera du parfum des herbes. Tu peux utiliser les mélanges que nous te proposons ici ou inventer tes propres combinaisons.

1 Coupe un rond de 18 cm de diamètre dans de la mousseline. Mets quelques pincées d'un mélange d'herbes parfumées au centre du rond.

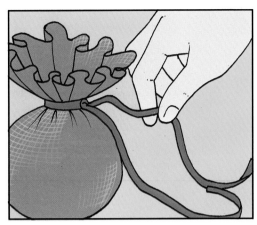

3 Noue les extrémités du ruban en faisant une rosette de manière à pouvoir attacher le sachet au robinet.

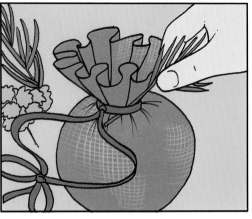

4 Pour finir, glisse quelques brins d'herbes ou de lavande sous le ruban.

2 Ajoute une cuillerée à soupe de son ou d'avoine pour adoucir l'eau. Rassemble les bords du tissu et ferme le sachet avec un morceau de ruban.

IL TE FAUT
De la mousseline écrue ou teinte
Du ruban étroit
Des ciseaux
Du son ou de l'avoine

Pour le mélange d'herbes :
Du thym et de la lavande
Des fleurs de camomille
De la menthe sauvage et du persil
De la sauge et des feuilles
de fraisier

UN POT-POURRI
DE NOËL

Ces compositions odorantes sont très
décoratives et auront un air de fête avec ces
rubans de velours de couleurs vives. Fabrique
toi-même ton pot-pourri avec des têtes de
fleurs séchées et des essences parfumées ou
achète-le tout préparé.

IL TE FAUT
Un gros pinceau
De la colle vinylique
Une balle en mousse
pour fleuriste
Du pot-pourri
Du ruban de velours
De la colle universelle
Du fil et une aiguille

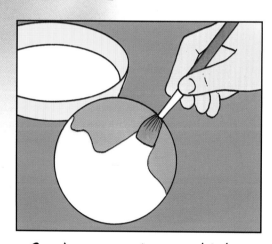

1 Avec un gros pinceau, enduis de
colle vinylique une petite balle de
mousse pour fleuriste. Applique le
pot-pouri sur la boule pendant que la colle est
encore un peu humide.

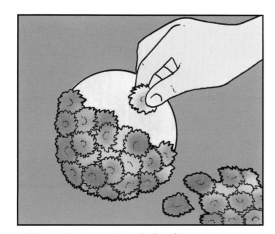

2 Assure-toi que la boule est complètement recouverte de pot-pourri, puis mets-la à sécher toute la nuit dans un endroit où personne n'y touchera.

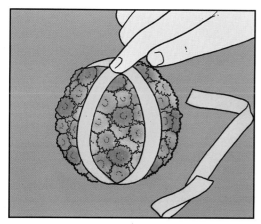

3 Coupe deux longueurs de ruban de la taille de la circonférence de la boule. Colles-les en place.

4 Fais une petite boucle en ruban et colle-la ou couds-la sur la balle afin de pouvoir la suspendre.

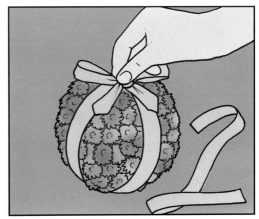

5 Enfin, fais un nœud de ruban et colle-le sur le dessus de la balle.

DES DÉCORATIONS DE NOËL

Ces superbes décorations dorées pour arbre de Noël sont faites de pommes de pin et de feuilles de lierre que tu auras ramassées lors d'une promenade en forêt ou même dans ton jardin.

1 Avec un pinceau, passe une couche de peinture dorée sur les pommes de pin et les feuilles de lierre. Allonge la peinture avec de l'eau pour donner une transparence.

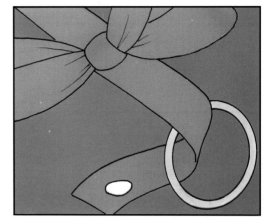

2 Pour la pomme de pin, coupe un morceau de ruban et fais un gros nœud. Colle-le à la base de la pomme de pin, comme sur le dessin.

3 Prends deux ou trois feuilles de lierre et colle-les sur une autre longueur de ruban en laissant une distance entre chaque feuille. Fais deux nœuds avec du ruban plus large et colle-les entre les feuilles, comme sur le dessin.

4 Passe le haut du ruban dans un anneau de rideau. Replie le ruban et colle-le derrière le nœud du haut.

IL TE FAUT

Des pommes de pin
Des feuilles de lierre
De la peinture acrylique dorée
Un pinceau
De la colle universelle
Des anneaux de rideau
Du ruban
en deux largeurs

LES PETITS SKIEURS

Ces petits skieurs en pommes de pin décoreront joliment un gâteau d'anniversaire ou la table de Noël, ou bien ils glisseront le long des branches de ton sapin. Les matériaux utilisés ici permettent de fabriquer un skieur.

IL TE FAUT

Une pomme de pin
Deux pique-olives en bois
Une balle de coton de 3,5 cm
Une tasse de thé très fort
Un clou de girofle
Des chutes de feutrine
Des crayons-feutres
De la peinture acrylique
et des pinceaux
Du carton de couleur et des ciseaux
De la colle et deux cure-pipes

1 Peins avec de la peinture acrylique la pomme de pin, le clou de girofle et les pique-olives. Colore la balle de coton avec un pinceau trempé dans du thé très fort. Lorsque tout est sec, colle la balle de coton sur le haut de la pomme de pin.

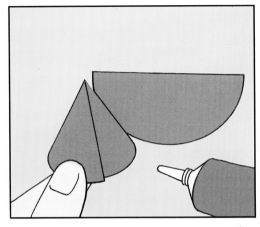

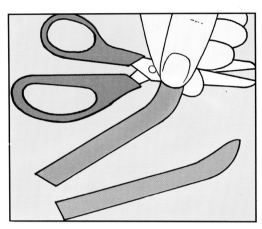

2 Introduis le clou de girofle dans la balle de coton pour faire le nez. Dessine les yeux et la bouche avec des crayons-feutres. Pour l'écharpe, coupe une bande de feutrine, et fais des franges aux deux bouts. Noue-la autour du cou.

3 Pour le chapeau, découpe un rond de feutrine de 10 cm de diamètre. Coupe-le en deux, colle les bords pour former un cône et colle ce chapeau sur la tête.

4 Coupe deux bandes de carton terminées par une pointe pour faire les skis. Avec les doigts, remonte les pointes vers le haut et maintiens-les incurvées. Colle-les sous la pomme de pin.

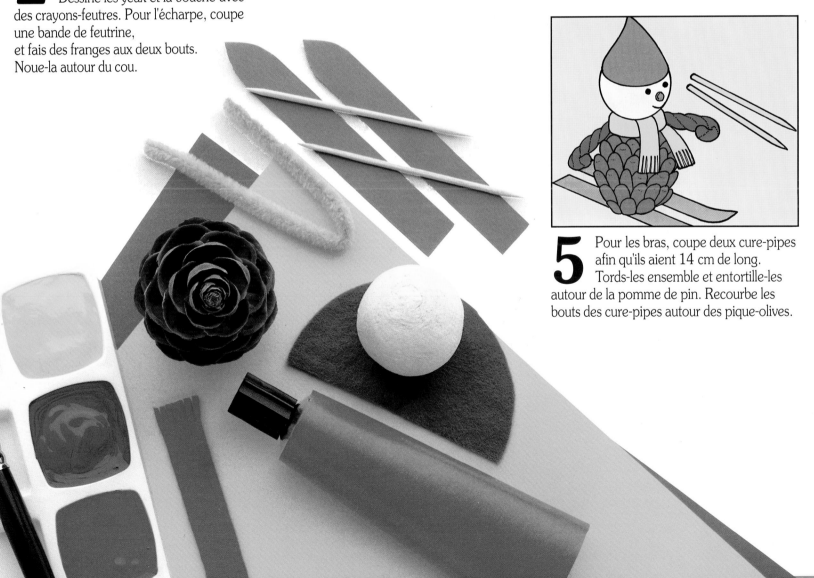

5 Pour les bras, coupe deux cure-pipes afin qu'ils aient 14 cm de long. Tords-les ensemble et entortille-les autour de la pomme de pin. Recourbe les bouts des cure-pipes autour des pique-olives.

UNE COURONNE DE NOËL EN RAPHIA

Avec du raphia et des fleurs, tu pourras composer une très jolie couronne à accrocher tout au long de l'année. Mais en lui ajoutant des rubans scintillants et des boules de Noël, tu en feras un élément décoratif idéal pour cette fête.

IL TE FAUT
Du raphia naturel
Cinq petites boules de Noël rouges
Du ruban à cadeaux étroit rouge
Des fleurs séchées rouges et roses
Du ruban adhésif
De la colle universelle
Des ciseaux

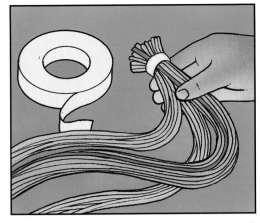

1 Coupe trois gerbes de raphia naturel de 50 cm de long et une longueur équivalente de ruban à cadeaux. Attache le raphia et le ruban à cadeaux ensemble à une extrémité, et dissimule la jonction avec du ruban adhésif.

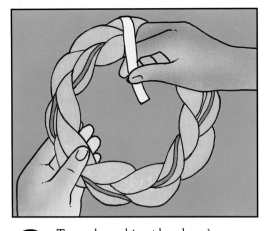

2 Tresse le raphia et le ruban à cadeaux et, quand tu as terminé, réunis les deux extrémités pour former un cercle. Attache les bouts ensemble avec du ruban adhésif.

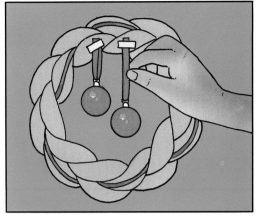

3 Enfile trois boules de Noël dans trois longueurs de ruban et suspends-les à l'intérieur de la couronne avec du ruban adhésif. Colle des fleurs sur le haut des boules.

4 Choisis quelques fleurs séchées avec des tiges assez longues et colle-les de chaque côté du haut de la couronne. Colle aussi quelques têtes de fleurs séchées et les autres boules sur le haut de la couronne pour cacher le ruban adhésif.

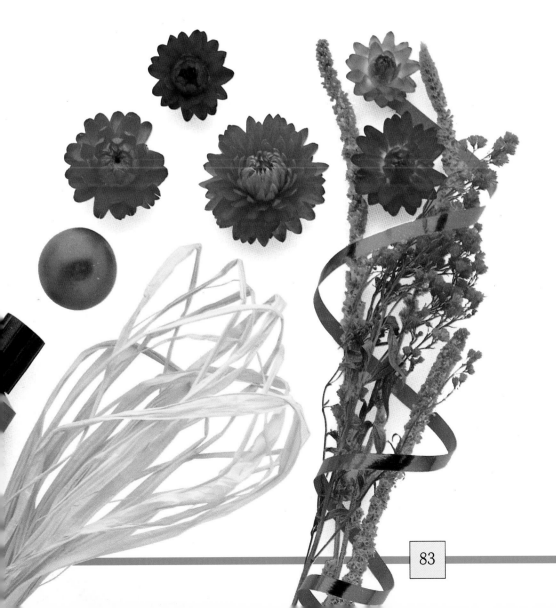

LES ANGES EN PAILLE

Faits d'éléments complètement naturels, ces anges en paille seront du plus bel effet suspendus dans ton arbre de Noël cette année. Place dans les bras de chaque ange un petit bouquet de fleurs séchées ou une poignée de pommes de pin.

1 Coupe les têtes d'une gerbe d'épis d'orge. Enlève les feuilles et mets les tiges à tremper deux heures dans de l'eau tiède pour les ramollir.

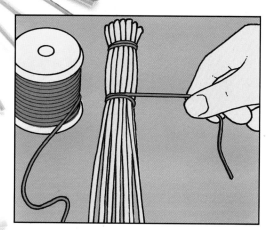

2 Coupe douze tiges de 18 cm de long. Attache les tiges ensemble et enroule du fil rouge à l'une des extrémités. Refais un second tour de fil rouge 2,5 cm plus bas, pour faire la tête.

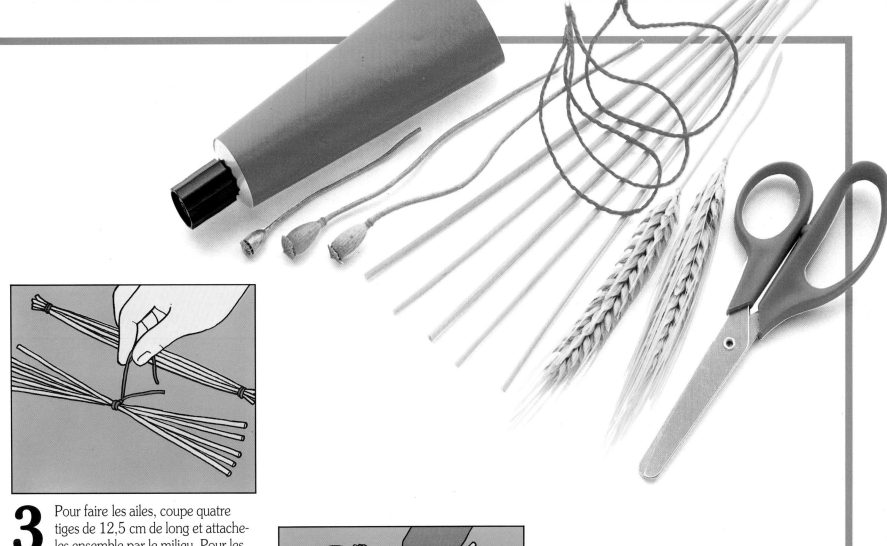

3 Pour faire les ailes, coupe quatre tiges de 12,5 cm de long et attache-les ensemble par le milieu. Pour les bras, coupe trois tiges de 12,5 cm de long et attache-les ensemble à chaque extrémité avec du fil rouge.

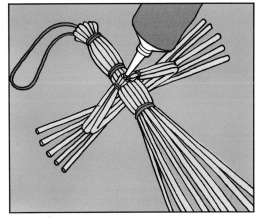

5 Courbe les bras vers l'avant pour qu'ils se rejoignent, et colle les mains ensemble. Pour finir, fais une boucle de fil rouge et colle-la derrière la tête.

4 Glisse les bras et les ailes entre les longues tiges qui forment le corps, et mets un lien de fil rouge juste en dessous pour marquer la taille.

IL TE FAUT
De l'orge ou du blé séchés
Du coton à broder rouge
ou de la laine
De la colle universelle
Des fleurs séchées
Des pommes de pin
Des ciseaux

LE PÈRE NOËL ET SES AIDES

Compose ce joyeux groupe de personnages typiques de Noël avec de la pâte à sel – de la farine, du sel et de l'eau mélangés pour faire une pâte. Peins-les de couleurs vives et accroche-les dans ton sapin.

IL TE FAUT

2 tasses de farine ordinaire
1 tasse de sel
1 tasse d'eau
1 emporte-pièce pour bonhomme en pain d'épice
De la gouache
Du vernis, du ruban étroit
Un couteau en bois
Un rouleau à pâtisserie
Un crayon

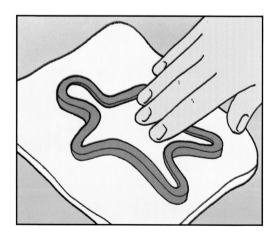

1 Mélange la farine, le sel et l'eau pour faire une pâte bien ferme. Étale-la en une plaque de 1 cm d'épaisseur et découpe soigneusement les personnages avec l'emporte-pièce.

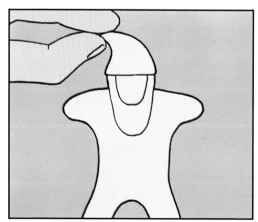

2 Forme un triangle pour la barbe et le chapeau, aplatis-les et pose-les sur la tête en appuyant bien. Recourbe le chapeau des lutins.

3 Découpe de petites bandes de pâte pour la ceinture, le bord des manches et la bande de fourrure du manteau du Père Noël. Roule deux boules de pâte pour les chaussures et deux petites boules pour les boutons. Prends des bouts de pâte pour les moustaches, les yeux et le nez. Place tous les éléments en appuyant doucement sur la pâte. Fais un trou dans le chapeau pour y passer du ruban.

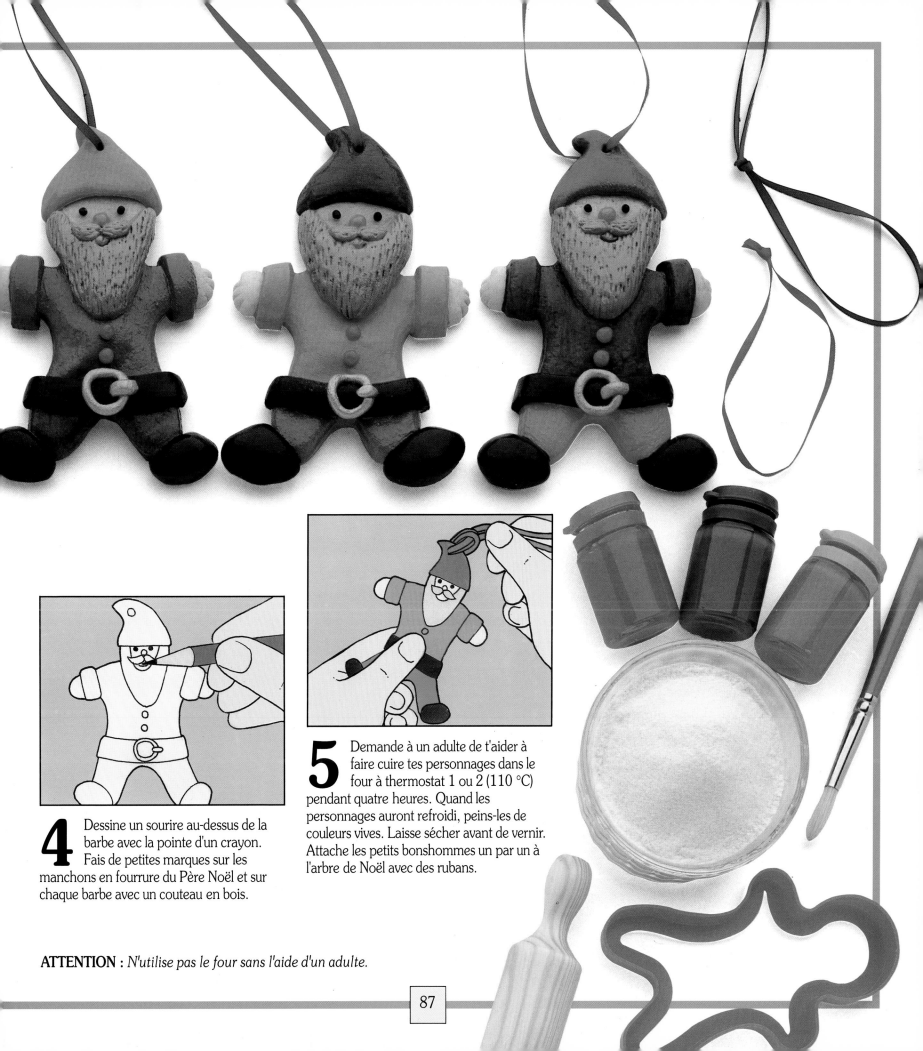

4 Dessine un sourire au-dessus de la barbe avec la pointe d'un crayon. Fais de petites marques sur les manchons en fourrure du Père Noël et sur chaque barbe avec un couteau en bois.

5 Demande à un adulte de t'aider à faire cuire tes personnages dans le four à thermostat 1 ou 2 (110 °C) pendant quatre heures. Quand les personnages auront refroidi, peins-les de couleurs vives. Laisse sécher avant de vernir. Attache les petits bonshommes un par un à l'arbre de Noël avec des rubans.

ATTENTION : *N'utilise pas le four sans l'aide d'un adulte.*

LA BÛCHE DE NOËL

Cette année, pour Noël, fabrique ce magnifique centre de table avec des écorces, des petites branches de sapin et des pommes de pin, que tu auras ramassées lors d'une promenade en forêt. Assure-toi que les écorces sont bien sèches avant de les utiliser.

1 Avec un couteau en bois, coupe une tranche de mousse pour fleuriste de 6 cm d'épaisseur. Colle la mousse sur le dessus de l'écorce et, quand c'est sec, enlève les coins comme sur le dessin.

88

2 Humidifie la mousse et enfonce un support pour bougie dedans. Place la bougie dans le support.

3 Pique de petites branches de sapin dans la mousse et colle quelques pommes de pin de chaque côté du support pour bougie.

4 Recourbe un bout de fil de fer et passe-le au travers de la boucle qui sert à accrocher les boules de Noël. Plante les boules au milieu des petites branches de sapin.

IL TE FAUT
De l'écorce d'arbre
De la mousse pour fleuriste
Une bougie rouge et son support
Des petites branches de sapin
Des boules de Noël dorées
Du fil de fer pour fleuriste
De la colle universelle
Un couteau en bois
Des pommes de pin

DES RONDS DE SERVIETTES EN RAPHIA

Ces ronds de serviettes colorés sont faits de carton et de raphia naturel. Une fois terminés, tes ronds seront tellement beaux que personne ne voudra croire que tu ne les as pas achetés dans une boutique à la mode.

IL TE FAUT
Du raphia naturel
De la teinture pour tissu
Un tube en carton
De la colle universelle
Des ciseaux

ATTENTION : Demande à un adulte de t'aider à préparer la teinture.

90

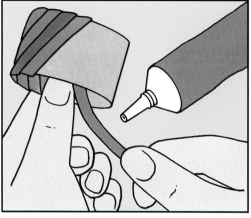

2 Retire le raphia, rince-le bien et laisse-le sécher. Coupe un tube en carton en rondelles de 3,5 cm.

1 Demande à un adulte de t'aider à préparer la teinture pour tissu en suivant les instructions du fabricant. Laisse tremper les longueurs de raphia dans la teinture quelques minutes.

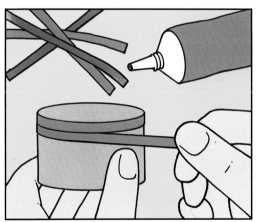

3 Entoure un des ronds en carton de raphia de couleur, en l'enroulant en diagonale et en collant les extrémités du raphia à l'intérieur pour qu'il tienne bien.

4 Tu peux aussi enrouler le raphia d'une autre manière en le plaçant horizontalement. Colle toujours les extrémités à l'intérieur.

PATRONS

Les pages qui suivent contiennent les patrons
nécessaires à la fabrication de certains objets proposés
dans ce livre.

Avant de reproduire l'un d'entre eux, lis attentivement
les instructions données pour chaque création.

Si tu souhaites utiliser le même patron plusieurs fois,
recopie le tracé avec un crayon et du papier-calque.
Retourne le calque sur le carton sur lequel tu veux
reproduire le patron.

Appuie fermement sur le pourtour avec un crayon. La
forme apparaîtra sur le carton. Découpe-la. Si tu gardes
soigneusement le patron, tu pourras l'utiliser
indéfiniment.

LE CACATOÈS EN FLEURS SÉCHÉES

Page 14

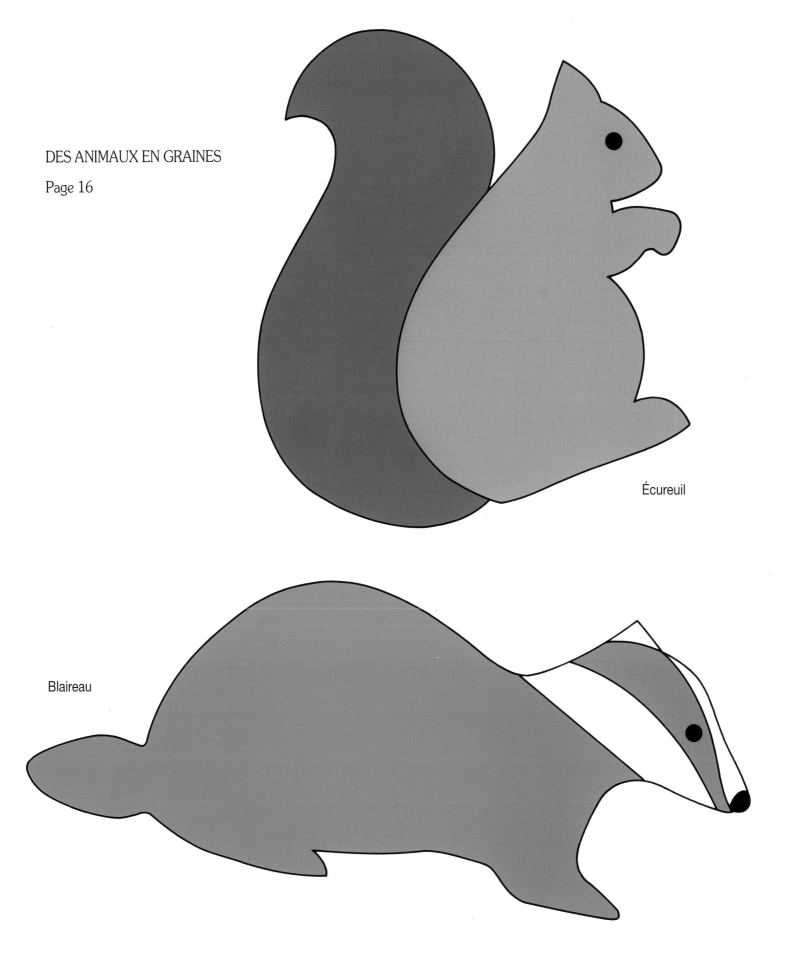

DES ANIMAUX EN GRAINES

Page 16

Écureuil

Blaireau

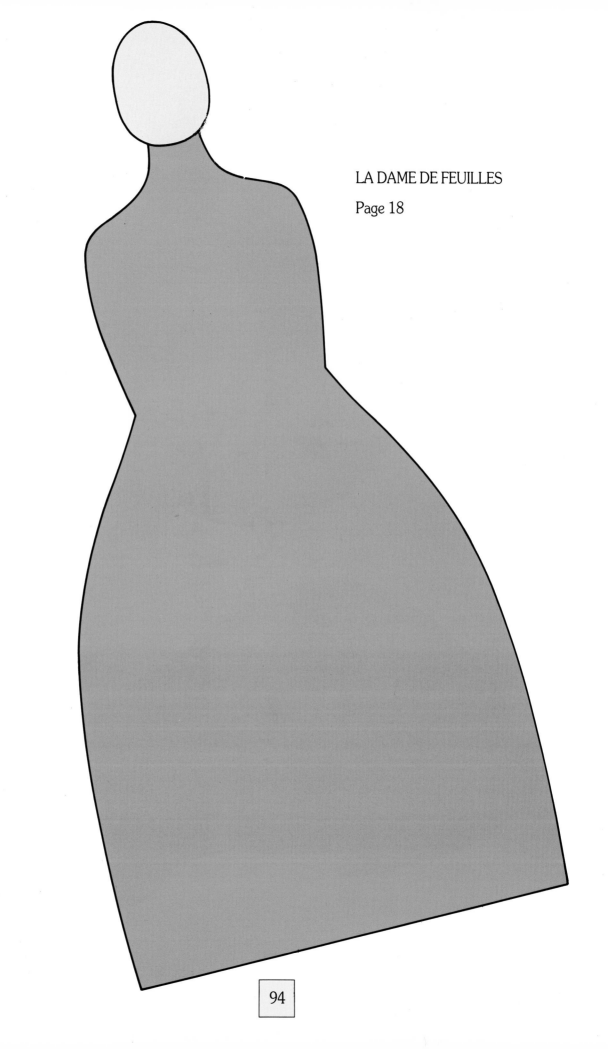

LA DAME DE FEUILLES

Page 18

MADAME HÉRISSON

Page 32

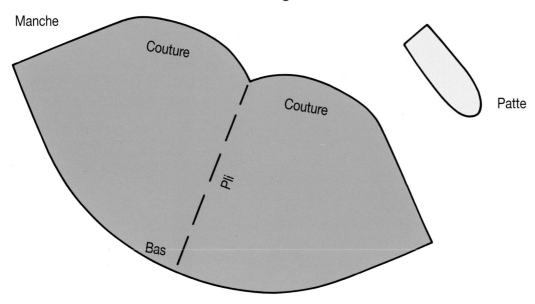

Manche

Couture

Couture

Plli

Bas

Patte

DES CŒURS EN POT-POURRI

Page 42

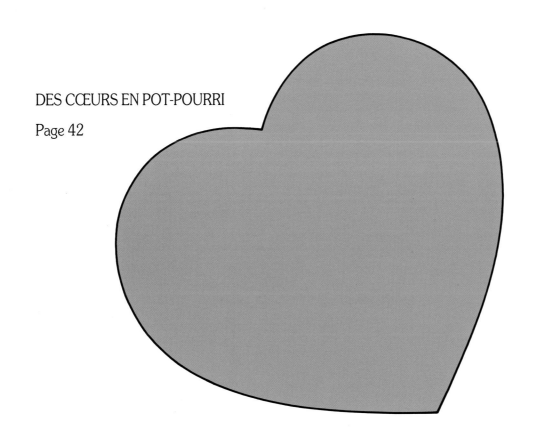

INDEX

1, 2, 3, JE CRÉE... AVEC LA NATURE
publié par Sélection du Reader's Digest

Photocomposition : Empreintes, Antony
Photogravure : P & W Graphics, Pte., Singapour

PREMIÈRE ÉDITION

Achevé d'imprimer : août 1993
Dépôt légal en France : septembre 1993
Dépôt légal en Belgique : D. 1993.0621.60

IMPRIMÉ EN ITALIE
Printed in Italy